Eileanór an Eilifint Éagsúil

leabhar agus dlúthdhiosca le **Eric Drachman**
maisithe ag **James Muscarello**
leagan Gaeilge le **Tadhg Mac Dhonnagáin**

www.futafata.com

Do mo thuismitheoirí a thug uchtach dom i gcónaí, fiú agus mé ag déanamh glórtha aisteacha– E.D.

www.futafata.com

Glacann Futa Fata buíochas
le Bord na Leabhar Gaeilge/Foras na Gaeilge
faoin gcúnamh airgid.

ISBN : 978-0-9550983-2-1

Foilsithe den chéad uair faoin teideal "Ellison the Elephant" © 2004,
ag Kidwick Books LLC, Los Angeles, California, Stáit Aontaithe Mheiriceá.

Glórtha ar an dlúthdhiosca:

Scéalaí: Tadhg Mac Dhonnagáin
Eileanór: Aoife Ní Nualláin Ní Thuathail
Easóg: Caoimhe Ní Choisdealbha
Mamaí Eileanóir: Caitlín Ní Chualáin
Eilifint óg: Oisín Ó Fátharta

Snagcheol Eileanóir cumtha agus léirithe ag Giovanna Imbesi
ag TuttoMedia, Venice, California. (www.tuttomedia.com)
Bryan "BTrain" Holley: Glór ceolmhar Eileanóir
agus glórtha tionlacan na n-ainmhithe
Eric Drachman: glórtha tionlacan na n-ainmhithe

Scherzo le Gregor Piatigorsky,
le caoinchead The Piatigorsky Foundation.
Evan Drachman, dordveidhil; Richard Dowling, pianó.

Dearadh agus clóchur le Andrew Leman.
Clóchur Gaeilge: Anú Design

An t-amhrán Cá Cá Cá : Ceol agus liricí © Tadhg Mac Dhonnagáin,
ón albam Bliain na nAmhrán, eisithe ar lipéad Futa Fata: FFCD 001

Arna priontáil sa Chóiré

Eilifint ba ea **E**ileanór. **B**hí sí óg agus bhí sí beag.
Ach ní babaí eilifint a bhí inti.
Bhí a deartháir **É**anna in ann ceol a dhéanamh lena thrunc.
Bhí na heilifintí óga eile ar fad in ann é a dhéanamh...

Ach ní raibh ceol ar bith ag **Eileanór**. Ní raibh aici ach glór beag lag.

"Níl ceol ar bith agamsa!" arsa Eileanór. "Beidh na heilifintí óga eile ar fad ag gáire fúm!"

"Tá ceol álainn agat" a dúirt Mamaí Eileanóir. "Tá sé éagsúil. Is breá liom é!"

"Ach níl mise ag iarraidh a bheith éagsúil" arsa Eileanór. "Tá mé ag iarraidh a bheith cosúil le gach éinne eile!"

"Ach a Eileanóir, a stóirín" arsa Mamaí.
"Is eilifint éagsúil thú – fiú d'ainm, tá sé éagsúil.
Lá breá éigin, is iad na heilifintí óga eile ar fad
a bheidh ag iarraidh bheith cosúil leatsa!"

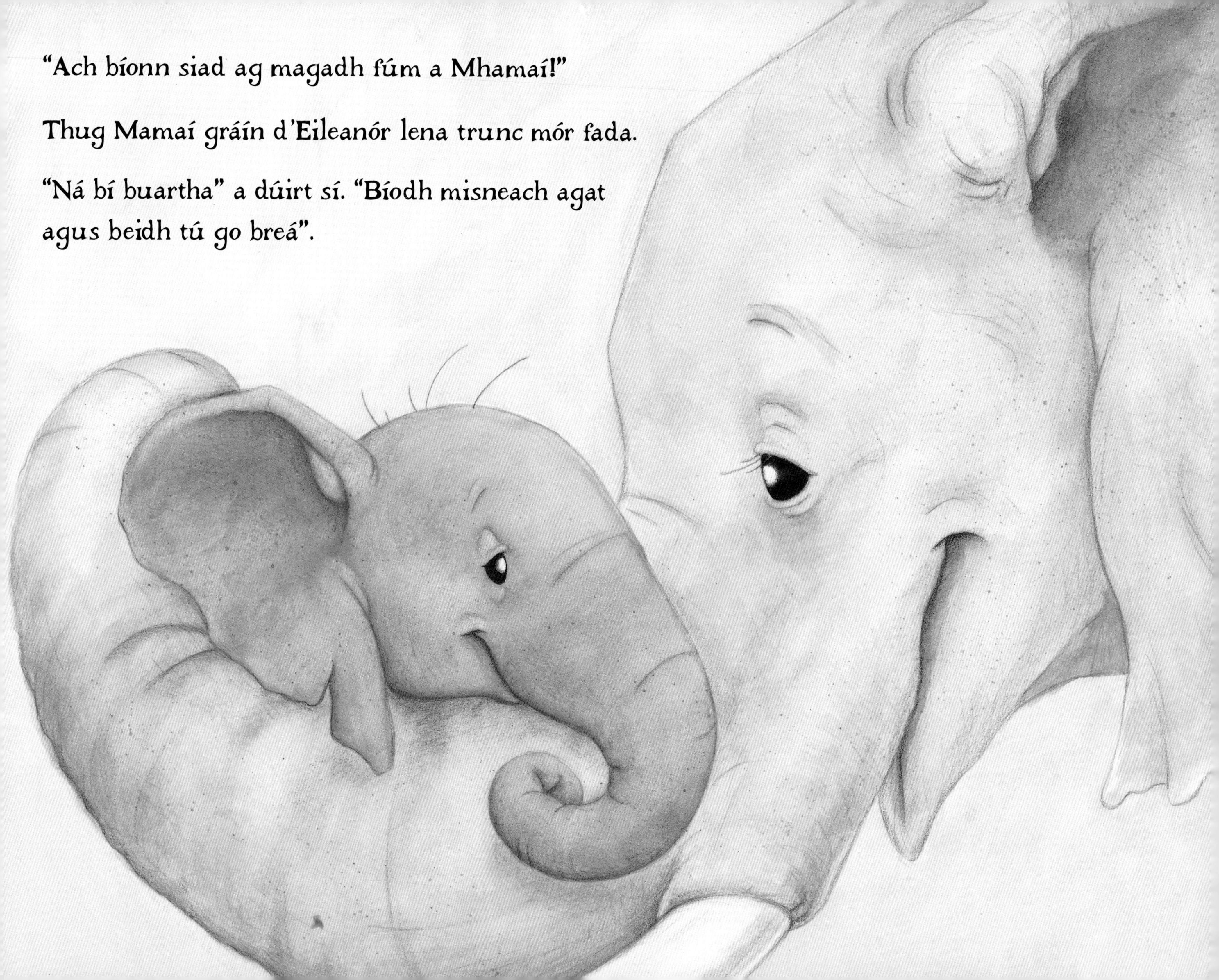

"Ach bíonn siad ag magadh fúm a Mhamaí!"

Thug Mamaí gráín d'Eileanór lena trunc mór fada.

"Ná bí buartha" a dúirt sí. "Bíodh misneach agat agus beidh tú go breá".

Síos leo chuig an lochán uisce. Bhí na heilifintí eile ar fad ann. Bhí siad á ní féin san uisce.

Isteach le hEileanór san uisce. Nigh Mamaí í lena trunc mór fada. Thart orthu, bhí na heilifintí eile ag spraoi. Bhí siad ag déanamh ceoil agus ag gáire.

"Éist leis an gceol ard láidir atá acu sin!" arsa Eileanór léi féin. "Agus gan agamsa ach glór beag lag!"

Tháinig Eileanór amach as an uisce. D'imigh sí ag siúl léi féin.

"Beidh ceol ard láidir agamsa chomh maith" arsa Eileanór.
D'ardaigh sí a trunc beag agus thosaigh sí ag séideadh.

Ach níor tháinig amach
ach glór beag lag.

Bhí fearg ar Eileanór.
Rith sí. Léim sí. Sciorr sí...
agus thit sí.

"Tusa!" a dúirt sí le sceach bheag a bhí ag fás as an talamh.

"IS TUSA A LEAG MÉ!"

Tharraing Eileanór an sceach amach as an talamh.

"LIG DOM!" a bhéic an sceach. "Lig dom, a eilifint dhána!"

Bhí ionadh ar Eileanór. "Tá caint ag an sceach!" a dúirt sí léi féin. "Seo scéal aisteach!"

"Tá brón orm" arsa Eileanór leis an sceach. "An bhfuil tú ceart go leor?"

Ansin, amach as an sceach, thit ainmhí beag. Easóg a bhí ann.

"Is beag nár mharaigh tú mé" arsa an easóg.
"Bí cúramach leis an trunc sin!"

Rith an easóg síos an cnoc.

"Eilifintí!" a bhéic sí go crosta. "Tá siad ar fad mar a chéile! Ceapann siad go bhfuil cead acu a rogha ruda a dhéanamh!"

"Hé!" arsa Eileanór. "Dúirt mé leat go raibh brón orm!"

"Ní raibh mé ag iarraidh cur isteach ort! Ní raibh a fhios agam go raibh tú istigh sa sceach sin ar aon nós. Bhí drochlá agam inniu. Agus,,,,agus... ní eilifint cheart mé fiú! Níl ceol ar bith agam. Níl agam ach glór beag lag!"

Stop an easóg. Chas sí thart.
Bhreathnaigh sí suas ar Eileanór.
"Bí ag ceol go gcloisfidh mé".
"Bí ag ceol?" arsa Eileanór.
"Sea!" arsa an easóg. "Stop ag
déanamh trua duit féin agus
cas píosa ceoil dom".

"Maith go leor" arsa Eileanór. Shéid sí a trunc.
Níor tháinig amach ach glór beag lag.
"Tá an ceart agat; bhí sé sin uafásach!" arsa an easóg.
Agus léim sí isteach i bpoll sa talamh.

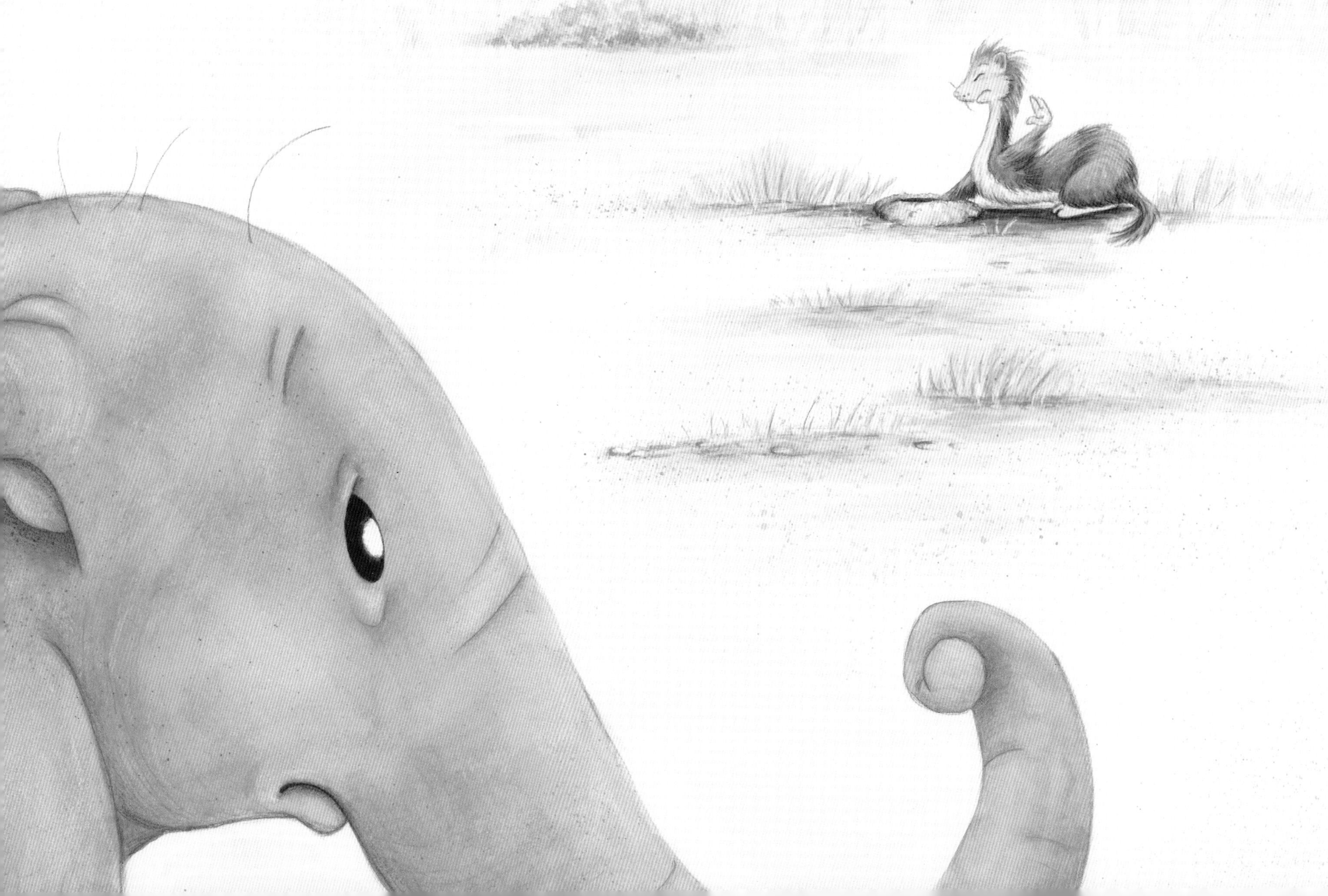

"Uafásach?" arsa Eileanór. "Uafásach? Ar dtús bhí na heilifintí eile ag gáire fúm, ach anois - easóg!"

Shiúil Eileanór suas chuig an bpoll.
Síos lena trunc, síos, síos.
Shéid sí go feargach.
Tháinig glór ard láidir amach.

Stop Eileanór. Bhí ciúnas ann. Chuala sí a croí féin ag bualadh. Ansin amach as an bpoll leis an easóg. "Anois, sin ceol!" a dúirt sí. "Déan arís é!"

"Ag magadh fúm atá tú" arsa Eileanór.

"Ní hea ná ag magadh" arsa an easóg.
"Céard eile atá tú in ann a dhéanamh?"

"Níl a fhios agam" arsa Eileanór.

"An bhfuil tú in ann nóta fada a dhéanamh?"

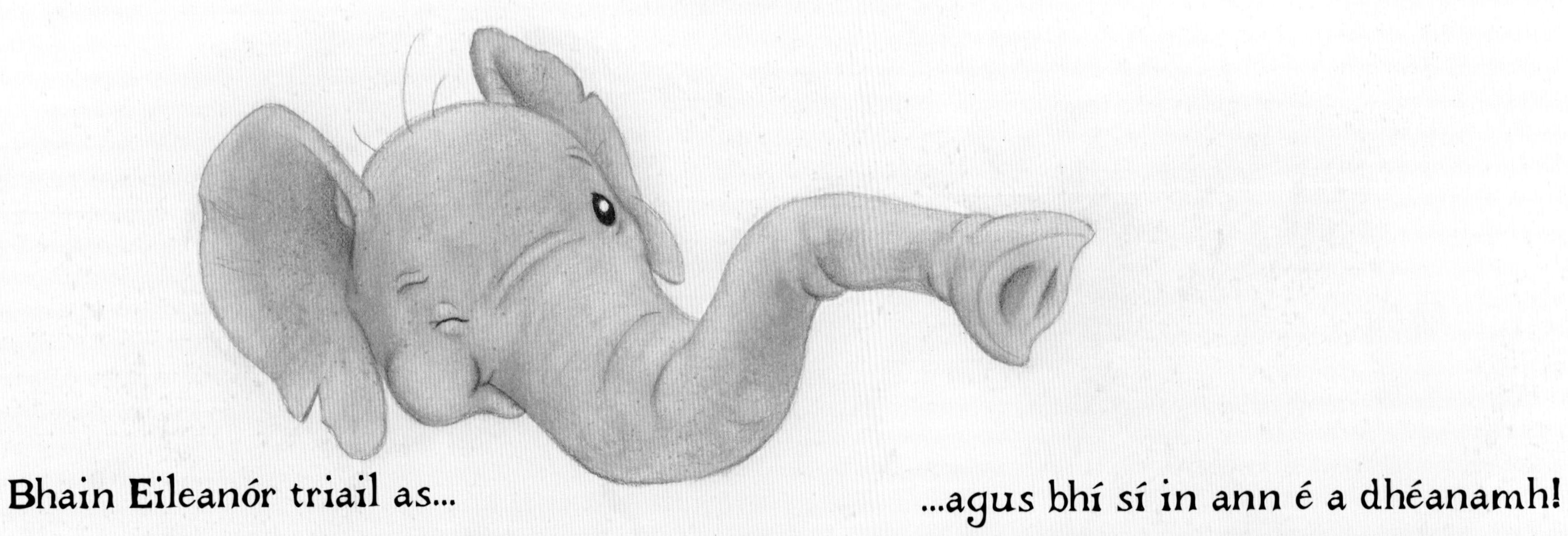

Bhain Eileanór triail as...

...agus bhí sí in ann é a dhéanamh!

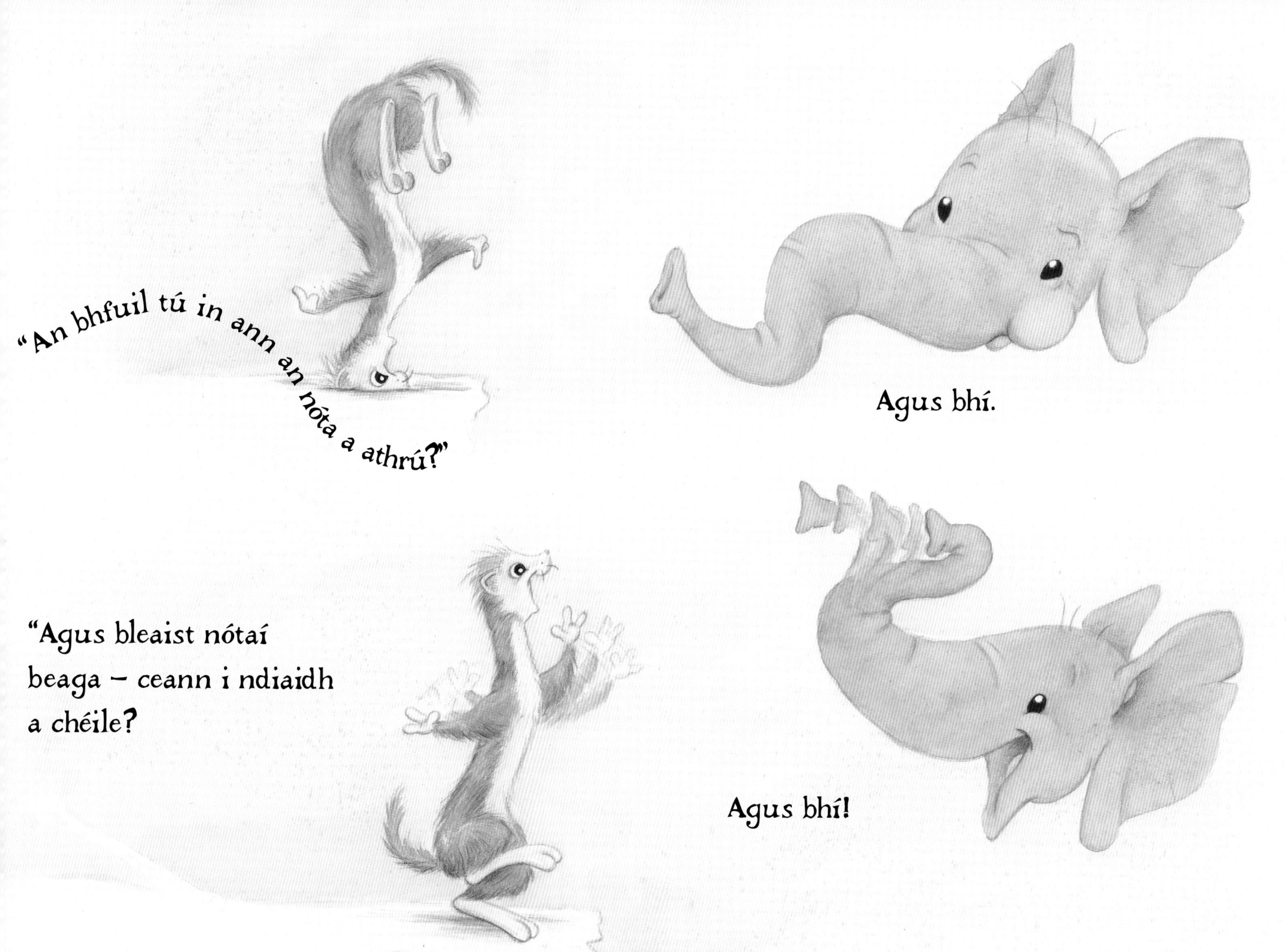

"An bhfuil tú in ann an nóta a athrú?"

Agus bhí.

"Agus bleaist nótaí beaga – ceann i ndiaidh a chéile?

Agus bhí!

Bhí áthas ar an easóg. "Tá tusa go hiontach!" a dúirt sí.

“Anois, dún do shúile. Éist leis an gceol istigh ionat féin, i bhfad isteach”.
“Seo scéal aisteach” arsa Eileanór léi féin. Ach dhún sí a súile agus d’éist sí taobh istigh di féin. D’éist sí agus d’éist sí go dtí gur chuala sí ...

...A GLÓR FÉIN!

"Sin é!" arsa Eileanór. "Is liomsa an glór sin!
Bhí sé ansin taobh istigh díom an t-am ar fad!"

D'ardaigh Eileanór a trunc agus thosaigh sí ag séideadh.
Tháinig nóta ard láidir amach . . . . . agus amach . . . . agus amach . . . . .

Stop na heilifintí óga eile ag spraoi sa lochán uisce.
"Éist leis an gceol sin!" a dúirt siad. "Tá sé go hiontach! Ach cé leis é?"

Amach as an uisce leo. Lean siad ceol Eileanóir.

"Coinnigh ort a Eileanóir!" arsa an easóg. "Coinnigh ort – tá ceol iontach agat!"

Choinnigh Eileanór uirthi. Amach lena glór álainn féin, óna croí istigh amach. Chuir an ceol ag damhsa í.

Bhí na heilifintí ar fad thuas ar an gcnoc ag fanacht agus ag éisteacht. Chuir ceol **Eileanóir** iad siúd ag damhsa chomh maith.

"Cheap mé nach raibh aici sin ach glór beag lag!" arsa eilifint amháin. "Tá **Eileanór** níos fearr ag ceol ná eilifint ar bith san áit!"

Nuair a tháinig sí chuig deireadh an phíosa ceoil, d'oscail Eileanór a súile. Bhí na heilifintí ar fad ag éisteacht léi. Anuas an cnoc leo. Bhí gach éinne acu ag iarraidh labhairt le hEileanór.

"Cá bhfuair tú an ceol álainn sin a Eileanóir?" arsa a Mamaí.

"Istigh ionam féin" arsa Eileanór. "Thug easóg cúnamh dom é a thabhairt amach!"

"Easóg?" arsa Mamaí. "Sin scéal aisteach!"

"Istigh ionam féin a bhí an glór an t-am ar fad.
Anois tá sé tagtha amach agus tá sé **an-éagsúil!**

Rith na heilifintí óga eile suas le hEileanór. "Déan arís é, más é do thoil é!" a dúirt siad. "Ba bhreá linne ceol a dhéanamh cosúil leatsa!" Bhí gach éinne ag iarraidh bheith chomh héagsúil le hEileanór.

Rinne na heilifintí eile ar fad ceol agus damhsa agus choinnigh siad rithim le ceol **Eileanóir**. Lean an ceol ar aghaidh, fiú tar éis don ghrian imeacht a luí. Ar feadh na hoíche, tháinig na hainmhithe go léir eile leis an eilifint óg a chloisteáil.

Chuir an ceol draíocht orthu go léir. Bhí a glór féin ag Eileanór anois, glór ard láidir – agus éagsúil!